메밀이 왜 몸에 좋은가

메밀이 왜 몸에 좋은가

박철호(강원대 생명건강공학과 교수)
최용순(강원대 의생명공학과 교수)

| 머리말 |

　방송 인터뷰를 할 때 빠지지 않는 질문이 "메밀이 왜 몸에 좋으냐?"고 하는 것이다. 아마 일반인들도 막국수 등 메밀음식을 즐겨먹으면서 그런 의문을 품었던 적이 한, 두 번은 있었을 것이다.

　우리가 먹는 식품이 대부분 생명을 유지하는 데 필요한 에너지를 제공하고 대사를 원활히 하는 작용을 하는데 메밀도 예외가 아니다. 오히려 일반식품에 비하여 메밀은 건강식품으로서의 가치와 매력이 훨씬 많은 식품군에 속한다.

　메밀의 오래된 전래 과정을 보면 선조들은 과학기술이 발달되기 이전부터 경험적으로 메밀식품의 효용성과 우수성에 대해 인식하였다는 것을 알 수 있다. 우리나라의 향약구급방^{鄕藥救急方}, 산림경제^{山林經濟}, 농사직설^{農事直說}, 동의보감^{東醫寶鑑}, 방약합편^{方藥合編} 등과 같은 고서와 중국의 제민요술^{濟民要術}, 천공개물^{天工開物}, 본경봉원^{本經逢原}, 사시찬요^{四時纂要}, 본초강목^{本草綱目} 등과 같은 고문헌이 그러한 사실을 잘 입증해 주고 있다.

고문헌상의 메밀에 대한 기록

한의서에 의하면 메밀의 열매는 변통^{便通}, 열창^{熱瘡}, 적종^{赤腫}, 주적^{酒積}에 효과가 있으며 익기력^{益氣力}, 실장위^{實腸胃}, 강기^{强氣}의 효능이 알려져 있다. 메밀대는 옹저^{癰疽}와 육축생창^{六畜生瘡}에, 메밀잎은 옹종^{癰腫}과 인후비색^{咽喉秘塞} 등에 효능이 있다.

한방에서는 메밀이 항염효과가 있어 메밀가루를 반죽하여 종기와 부스럼에 바른다. 고혈압과 동맥경화 예방과 치료뿐만 아니라 뇌출혈에 효과가 있고 재발을 방지하며 지사, 건위, 소화, 해독 및 해열 작용이 있고 폐결핵과 이질에도 쓴다. 씨와 잎을 생으로 먹으면 구충효과도 있다(한용봉, 2004).

허준의 동의보감에도 메밀은 약성이 강하여 전통적으로 내과적 치료용으로 홍역, 궤양성 위장병, 여성혈대하증, 폐각혈, 흉통, 조산방지, 산후출혈, 장출혈 및 혈변 간염, 황달, 백일해 등에 쓰이고 외과적으로는 타박상, 악성종기, 심한 하복부 부기치료

등에 쓰이는 것으로 알려졌다.

본초강목^{本草綱目}에도 메밀은 위^{胃}를 실하게 하고 기운을 돋우며 정신을 맑게 하고 오장^{五臟}의 찌꺼기를 훑는다고 기록되어 있다.

황도연의 「방약합편」에 보면 "메밀의 독은 무를 갈아 즙을 마시면 된다"고 기록되어 있다. 여기서 말하는 독은 메밀의 알레르기단백질에 의한 알레르기 증상을 의미한다고 볼 수 있으며 메밀음식을 먹을 때 무를 같이 먹음으로써 알레르기 증상을 해소(해독)하는 '오래된 습관'이 나름대로 의미가 있는 것임을 짐작할 수 있다. 부종에 관해서는 출처는 분명하지 않지만 전해지는 다음과 같은 예화가 있다.

"옛날 중국에서 만리장성을 축조할 때 많은 조선인들이 부역을 했는데 축조가 끝난 후 조선으로 돌아갈 사람들이 식량을 요구하자 중국에서 메밀을 주었다는 것이다. 메밀을 준 이유는 중국에서 메밀을 많이 먹으면 부종이 생겨 사람이 죽었기 때문이었다. 중국인들이 조선인들을 못살게 할 속셈이 있었던 것이다. 그런데 수 년이 지나서 중국에서 첩자를 보내 조선사람들의 동태를 살폈더니 메밀을 먹고도 죽지 않고 잘 살고 있는 것을 알고 그 이유를 알아보았는데 그 이유는 바로 조선사람들이 메밀음식에 무를 섞어 먹었기 때문이라는 것이다."

또한 일본의 여러 지방에 전래되어 온 민속요법 가운데 메밀의 인체생리작용을 소개하면 다음과 같다.

① 잇몸에서 피가 날 때에는 소바분(粉)을 날 것으로 반죽하여 붙인다. 이것을 붙이면 치아가 검게 되므로 "소바금(金) 붙인다"라는 속담도 있다.
② 귀울림이 있을 때 생(生)소바를 잘라 대궁이를 귀에 꽂는다.
③ 동상(凍傷)에 걸리면 소바분(粉)을 태워 연기를 쏘이면 좋다.
④ 화상(火傷)에는 소바분(粉)을 노랗게 볶아서 상처에 붙인다.
⑤ 혹이 났을 경우에는 진흙에 소바분(粉)을 섞어 개어서 붙인다.
⑥ 대나무에 찔렸을 때는 소바분(粉)을 붙인다.
⑦ 각기(脚氣)에 소바분(粉)을 먹으면 좋다.
⑧ 설사(下痢)를 멎게 하려면 소바분(粉)을 먹는다.
⑨ 당뇨병에는 소바분(粉)을 먹는다.
⑩ 고혈압에는 소바 또는 소바분(粉)을 먹으면 혈압이 내려간다.
⑪ 소바껍질을 넣은 베개를 베고 자면 혈압이 내려간다.

⑫ 소바는 중풍^{中風}에 좋다. 꽃이 피기 전 소바 잎을 잘라 명아주 잎과 같이 삶아 나물을 만들어 먹으면 중풍을 막을 수 있다.

메밀의 성분

현대과학기술에 의한 정밀한 성분 분석과 효능 검정에 대한 연구결과를 토대로 메밀이 왜 몸에 좋은지를 영양과 효능 두 측면에서 살펴보기로 한다.

메밀의 영양성분은 부위별 및 제품별로 약간의 차이가 있다. 한용봉 교수의 자료에 의하면 메밀알곡에는 가식부 100g 중 열량 287.0kcal, 단백질 12.1g, 지질 2.3g, 당질 66.6g, 조섬유 9.50g, 칼슘 17.0mg, 인 121.0mg, 철 2.40mg, 아연 2.28mg, vitamin B_1 0.20mg, B_2 0.10mg, B_6 0.20mg, niacin 2.9mg, 엽산 28.5㎍, vitamin E 0.54mg, 식이섬유 4.62g이다.

삶은 메밀국수는 알곡이나 가루에 비해 영양소 함량이 감소하여 가식부 100g 중 열량 116.0kcal, 단백질 4.5g, 지질 0.9g, 당질 22.3g, 조섬유 0.10g, 칼슘 8.0mg, 인 70.0mg, 철 0.7mg, 아연 0.14mg, vitamin B_1 0.05mg, B_2 0.02mg, B_6 0.05mg, niacin 0.5mg, 엽산 28.3㎍, vitamin E 0.1mg, 식이섬유 1.62g이다.

메밀순은 가식부 100g 중 열량 17.0kcal, 단백질

2.2g, 지질 0.2g, 당질 2.7g, 조섬유 0.90g, 칼슘 44.0mg, 인 32.0mg, 철 0.40mg, 아연 2.28mg, vitamin B_1 0.04mg, B_2 0.03mg, B_6 0.20mg, niacin 0.7mg, 엽산 28.5㎍, vitamin E 0.1mg, 식이섬유 0.54g로 단백질, 지질, 당질이 감소하고 미네랄 중 칼슘과 아연, 비타민 B_1과 B_6가 더 많거나 알곡과 같은 수준이다.

메밀묵은 가식부 100g 중 열량 58.0㎉, 단백질 1.7g, 지질 0.2g, 당질 12.8g, 조섬유 0.20g, 칼슘 6.0mg, 인 40.0mg, 철 0.20mg, 아연 0.49mg, vitamin B_1 0.11mg, B_2 0.01mg, B_6 0.10mg, niacin 1.1mg, 엽산 9.4㎍, vitamin E 0.09mg로 메밀순에 비하여 당질과 니아신이 증가하였고 나머지 성분은 대체로 감소하였다(한용봉, 2004).

특수성분으로는 열매에 궤르세틴(quercetin), 퀘르시트린(quercitrin), 하이페린(hyperin), 루틴(rutin), 오리엔틴(orientin), 호모오리엔틴(homoorientin), 사포니아레틴(sapoiaretin) 등이 있고 잎에는 캠페롤-3-람노시글루코사이드(Kaempferol-3-rhamnosylglucoside),

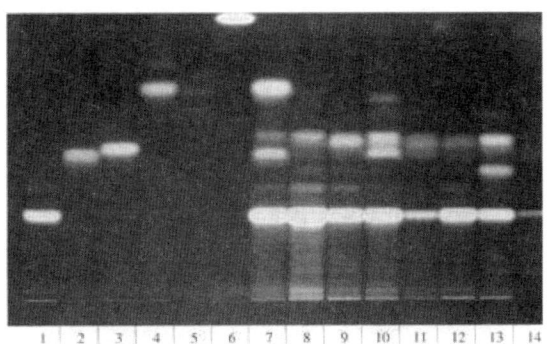

그림 1. 메밀 표준물질과 부위별 TLC

TLC of standard substances and parts of buckwheat plant: 1. Rutin, 2. Chlorogenic acid, 3. Hyperoside, 4. Quercitrin, 5. Fagopyrines, 6. Quercetin, 7. Inflorescence, 8. Upper leaf, 9. Lower leaf, 10. Upper part of the stem, 11. Lower part of the stem, 12. Petiole, 13. Cotyledone, 14. Root. Conditions of the chromatography: Silica gel 60 HPTLC glasplate 10×20㎝ (Merck); ethylacetate / acetic acid (96%) / formic acid. (conc.) / water: 100 / 11 / 11 / 27; UV 366nm after detection by dipping into a solution of 0.5g diphenyl-2-ethanolamine in ethyl acetate.

p-쿠마로일쿠닌산(p-Coumaroylqunic acid)이 있다. 그 밖에 파고민(fagomine), 파고피린(fagopyrine), 3,4-디하이드로벤조인산(3,4-Dihydrobenzoic acid), 피로사카로파인(Pyrosaccharopine), 에피카테킨(Epicatechin), 카테킨(Catechin), α-아미린(α-Amyrine), 시나린(Cynarin), 하이퍼로사이드

(Hyperoside), 루코안토시아닌(Leucoanthocyanin), 미리스토렌산(Myristoleic acid), n-테트라디카인(n-Tetradecane), 살리시알데하이드(Salicyaldehyde), 살리시아민(Salicyamine), 사포나레틴(Saponaretin), 탁시폴린-3-O-자이로사이드(Taxifolin-3-O-xyloside), 트리데칸-1-오인산(Tridecan-1-oic acid), 4-하이드로벤질아민(4-Hydrobenzylamine), N-살리시리딘-살리실아민(N-Salicylidene-salycylamine 등이 있다(한용봉, 2004).

루틴이란?

메밀의 종실과 전초(잎, 줄기, 꽃, 뿌리)에는 플라보날 글리코사이드(flavonal glycoside) 화합물인 루틴이 함유되어 있다. 루틴($C_{27}H_{20}O_{16}$)은 비타민 P복합체로서 정확한 화합물명은 2-페닐(phenyl)-3,5,7,3',4'-펜타하이드록시 벤조피론(pentahydroxy benzopyrone) 이다. 이 플라보노이드 화합물은 황색 또는 담황색의 폴리페놀(polyphenol) 화합물로서 퀘르세틴(quercetin : 5,7,3' 4'-테트라하이드록시 플라본(tetrahydroxy flavone)에

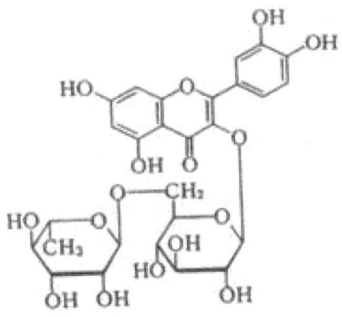

루틴

그림 2. 루틴의 화학구조식

루티노사이드(rutinoside)가 결합된 물질이다. 루틴은 수용성이나 알콜, 아세톤, 알칼리 용액에 잘 녹고 클로포름, 에테르 등에는 용해되지 않는 특징이 있다.

루틴이 최초로 분리된 식물은 메밀이지만 메밀 이외에 루틴을 다량 함유하는 식물은 회화나무, 태산목, 팬지, 마로니에 꽃, 담배, 플라타너스 잎, 대황, 차나무 잎, 감나무 잎, 강낭콩 잎 등이다.

루틴은 혈관의 지나친 투과성을 억제시켜 주는 작용을 가지며 모세혈관의 벽을 튼튼하게 해주므로 비정상적인 투과성으로 인하여 발생하는 모세혈관의 치료제로 사용된다. 즉, 고혈압의 예방 및 치료에 효능을 나타내며 혈압강하제와 같은 제약 원료로 이용된다.

메밀의 부위별 루틴함량

일반적으로 메밀에는 식물체 건물중의 2~10%에 해당하는 양의 루틴이 함유되어 있는 것으로 알려져 있다. 루틴 이외에 클로로젠산(chlorogenic acid)은 건물중의 0.2~0.5%에 달한다.

재배메밀 중 타타리메밀은 보통메밀에 비하여 루틴 함량이 80~100배 더 많은 것으로 알려졌다(박철호, 2006).

메밀종자의 루틴 함량은 대체로 17㎎/100g내외이다. 메밀은 발아 초기 루틴함량이 31.5㎎/100g이었던 것이 초기에는 약간 감소 하다가 발아 4일 째부터 급격히 증가하여 발아 1주일 후에는 처음의 루틴 함량의 50배 가까이 증가한다.

메밀을 재배할 때 본엽이 나기 시작하여 잎의 양이 증가할수록 루틴의 양이 증가하다가 개화기 이후 감소한다. 또한 메밀종자의 껍질에도 루틴이 47.8㎎/100g 함유되어 있으며 꽃에는 377㎎/100g로 메밀의 기관 가운데 가장 많은 루틴을 함유한다. 메밀에는 루틴 이외에도 10여 가지의 플라보노이드 유도체가 함유되어 있어서 이 성분들은 메밀이 동맥경화의 예방 및 치료, 고혈압, 고지혈증 등에 사용되고 있는 근거를 제공한다.

환경과 루틴함량

메밀 식물체의 부위별 루틴 함량은 생육시기에 따라서 변하며 탄산가스의 농도, 온도, 각종 광선의 파장, 토양비옥도 등의 환경조건이 메밀의 플라보놀(flavonol) 형성에 영향을 미친다. 루틴의 생합성은 광합성에 의하여 영향을 받는다. 즉, 총건물중에서 잎과 꽃이 차지하는 비율은 약 45~75%에 해당하나 루틴은 잎과 꽃에 전체의 80~90%가 함유되어 있다. 그러므로 광합성은 건물생산의 직접적인 제한요인일 뿐만 아니라 루틴의 생합성에도 영향을 미치는 것으로 볼 수 있다. 노지露地의 메밀밭에서 자란 메밀이 온실에서 자란 메밀보다 대체로 더 많은 루틴을 함유하고 있는 것은 바로 환경요인의 영향 즉, 광량과 특정 파장의 차단에 따른 결과로 해석된다.

 이와 같이 루틴은 메밀 식물체의 부위와 생장시기 및 생육환경에 따라 함량에 차이를 나타낸다. 메밀이 개화하기 전에는 잎〉잎자루〉줄기〉뿌리의 순서로 루틴 함량이 높으며 개화 시에는 전체의 68%가 꽃에 존재하여 꽃의 루틴 함량이 가장 높게 나타난다. 생육기간 중의 루틴 함량의 경시적(經時的)인 변화는 생육 초기부터 개화기까지는 계속 루틴 함량이 증가하다가 개화 후에는 일시적으로 감소되었다가 다시 증가하며 결실기에는 감소하는 양상을 나타낸다.

 Marshall과 Pomeranz에 의하면 메밀의 어린 식물체는 줄기에 대한 잎의 비율이 커서 성숙한 식물에 비하여 단위 중량당 루틴 함량이 높으며 파종 후 35~45일경에 최대 함량을 보이고 그 후에는 감소하므로 루틴 생산을 위해서는 이 기간 내에 수확하는 것이 좋다고 하였다. 이 기간은 개화최성기에 해당하므로 종실을 목적으로 하지 않고 전초를 수확하여 기능성 식품 또는 약품으로 이용할 목적이라면 개화초기부터 전초를 예취하는 것이 루틴 생산에 가장 유리하다고 판단된다.

메밀 종실의 겉껍질(과피)과 겉껍질을 벗겨낸 메밀쌀의 루틴 함량을 비교하면 과피가 메밀쌀보다 더 많은 루틴을 함유한다. 그것은 루틴이 자외선의 해로부터 식물체의 몸을 보호하기 위한 성분이기 때문에 태양광에 쪼이는 껍질에 가까운 부분에 많이 함유되어 있는 것이다. 메밀가루에 루틴이 가장 많이 함유된 부분은 종피부분까지 빻은 3번분(표층분)이고 중심부의 배아가 주체인 1번분(내층분)이 가장 적다. 이러한 가루를 골라내지 않고 메밀 열매를 통째로 빻은 '전층분'의 가루에도 루틴이 상당량 포함되어 있다.

과피를 제외한 메밀쌀의 루틴 함량을 재배시기별로 비교하면 봄에 재배한 메밀쌀의 루틴 함량이 24.8mg/100g으로 가을에 재배한 메밀쌀보다 2.8배 더 높았다. 루틴 함량은 메밀의 종 및 게놈에 따라서도 차이가 있는데 우리나라에서 재배되는 보통메밀인 단메밀보다는 쓴메밀로 알려진 달단메밀(타타리

메밀)이, 2배체 메밀보다는 4배체 메밀이 루틴 함량이 더 많았다.

메밀 종실 및 식물체에서 루틴의 생성 및 축적은 재배조건(파종량 등)과 재배환경(온도, 광 등 기상환경 및 토질, 시비 등 토양 환경)에 따라서도 차이가 난다. 메밀 파종량이 ha당 20kg일 경우는 이보다 많은 양을 파종한 경우에 비하여 잎의 루틴 함량이 감소되었으며 질소 시비에 있어서는 ha당 60~90kg가량의 많은 양을 시비할 경우에 건물량은 증가되나 잎의 루틴은 오히려 감소되는 경향을 나타내는 것으로 조사되었다.

그 밖에 건조방법도 메밀 식물체의 루틴 함량에 영향을 미치는데 비교적 저온에서 장시간 건조할 때 루틴의 손실이 크며 비교적 고온에서 단시간 건조하면 손실이 적다. 완전히 건조된 식물체는 6개월 이상 저장하여도 루틴 함량에는 변화가 없다. 그런데 100℃ 이상의 고온에서 식물체를 건조하면 퀘르세틴(quercetin)이 디글리코시데이션(deglycosidation)된다. 2~8℃에 저장하면 루틴 함량에 변화가 없고 -36℃에서는 1주일 저장에도 루틴이 감소된다고 하는 연구결과가 있다. 결과적으로 지나친 고온과 저온은 루틴 성분을 변화시킨다고 볼 수 있다. 막국수를 삶을 때 5분만 가열하여도 국수의 루틴 성분이 약 30% 감소한다. 그래도 상당량의 루틴이 국수 삶은 물에 존재하니 막국수를 먹을 때 뜨거운 국수 삶은 물을 마시면 루틴 섭취량을 늘리게 되는 셈이다.

메밀의 효능

무엇보다도 중요한 메밀의 식품적 특성은 건강식품에 있다. 메밀의 기능성 및 약리적 효능에 관한 국내·외로부터 연구보고가 다수 있다.

메밀은 혈압을 떨어뜨려준다

메밀 전초(잎과 줄기)추출물과 알곡추출물의 대표적인 효과는 약화된 모세혈관의 손상에 의한 출혈의 억제(출혈성 안구망막증)와 혈압저하기능이다. 전초추출물은 혈관의 기능저하로 손상받기 쉬운 상태를 개선한다.

이미 60여 년 전에 Rutin과 그 밖의 플라보노이드(flavonoid) 성분이 모세혈관을 단단하게 해주는 것은 히알루로니다아제(hyaluronidase) 저해효과의 결과이며 그것이 혈관표면의 긴장에 직접적인 영향을 미치는 것임이 밝혀졌다(Ambrose & DeEds, 1949). 그러한 루틴의 히알루로니다아제 저해효과는

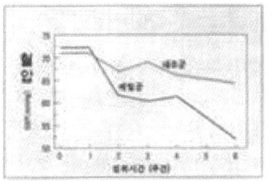 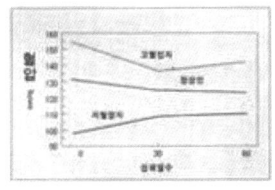
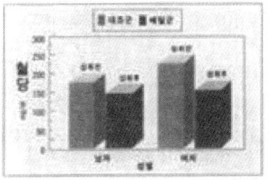 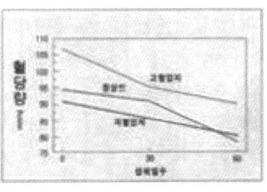

그림 3. 메밀의 혈압강하 효과 (권태봉, 1995)

헤파린(heparin), 사포닌(saponin), 에키네이신(echinacin)보다도 더 높았다(Busing, 1955).

고혈압쥐와 정상인, 고혈압환자, 저혈압환자를 대상으로 발아한 메밀 중 루틴 함량이 높고 유효성분을 가장 적절히 함유하고 있는 시료로부터 메밀추출물(엑스)을 제조하여 동물실험 및 임상실험을 수행한 결과 고혈압쥐와 고혈압환자에 있어서 메밀 섭취군 및 메밀추출물섭취군이 통계적으로 유의하게 혈압의 감소가 있었음을 보고하였다(권태봉, 1995).

또한 루틴에는 비타민 C와 동시에 섭취하면 모세혈관의 강화작용이 한층 강해지는 성질이 있다. 따라서 메밀국수를 먹을 때는 비타민 C가 풍부한 채소와 과일을 함께 곁들이는 것은 비타민 C 자체의 영양소 섭취뿐만 아니라 루틴의 효율적인 활용성을 높이는 효과도 기대된다. 30g의 메밀을 매일 섭취하면 혈압강하효과를 볼 수 있다.

메밀은 항산화효과가 있다

수용성 메밀전초추출물은 지방을 섭취한 토끼에 있어서 지질과산화물을 억제하는 효과가 있었다. 그 동물은 추출물 섭취 후 간에서 아스코베이트(ascorbate) 수준이 증가한 반면 혈청에서는 말론디알데하이드(malonic dialdehyde) 농도의 감소를 가져왔다. 추출물의 적용은 같은 양의 루틴을 사용했을 때보다도 더 양호한 결과를 보였다(Wojcicki et al., 1995).

α토코페롤에 비교하여 퀘르세틴(quercetin), 디하이드로퀘르세틴(dihydroquercetin), 니린지닌

(naringenin), 캠페롤(kaempferol), 루틴(rutin)은 메틸리놀리에이트(methly linoleate)의 과산화 동안 적당히 사슬을 끊는 활성을 보였다(Roginsky et al., 1996). 퀘르세틴, 헤스페리틴, 니린지닌, 루틴의 항산화 활성을 검정하기 위한 두 가지 시스템 중 첫 번째 시스템에서 리놀리에이트 과산화 유기 후 2가 이온의 철(Fe^{2+})과 결합한 디엔(diene)의 양이 검출되었고 루틴〉헤스페레틴〉퀘르세틴〉나린지닌 순으로 항산화효과를 나타냈다. 두 번째 시스템에서는 결과적으로 말론디알데하이드 퀘르세틴〉루틴〉헤스페리틴〉 나린지닌의 농도를 정량화함으로써 치오바비투린산(thiobarbituric acid)을 통한 쥐 세포막의 자동산화를 측정하였다(Saija et al., 1995).

다른 산화제를 첨가하여 방혈^{放血}된 쥐의 적혈구를 배양하였을 때 유리된 철(free iron)의 방출을 가져왔다. 루틴 투여가 철을 과잉 섭취한 쥐의 간 미립자(microsome)에서 식^{食}세포에 의한 자유 래디칼(radical) 생성을 현저히 억제하였다. 이것은 불활성인 철-루틴 복합체의 형성에 기인하는 것으로 생각되었다(Afanasev et al., 1995). 퀘르세틴에 의한 보호는 철의 세포간 킬레이트화(chelatisation)에 기인하는 것으로 보인다(Ferrali et al., 1997).

또 다른 연구는 철 이온을 킬레이트(chelating) 함으로써 플라보노이드가 항산화제로 작용하는 것을 나타내었다(Deng et al., 1997). 구리이온이나 UV 방사선에 의해 가볍게 산화된 저밀도 리포프로테인(LDL : low-density lipoproteins)은 내피세포에 대한 세포독성을 나타냈다. 루틴, 아스코빈산, 알파토코페롤의 혼합물이 초상가적^{超相加的}(supra-additive)인 항산화효과를 나타냈다(NegreSalvayre et al., 1995). 수용액에서 한 개의 전자 산화를 일으킨 아지드(azide) 래디칼에 의해 래티칼이 생성된 후에 플라보노이드의 환원 가능성이 추정된 생리화학적 연구결과도 있다. 3,5-디하이드록시아니솔 구조(카테킨) 또는 2,4-디하이드록시아세토페논(퀘르세틴)을 갖는 플라보노이드는 B-고리에서 확실한 항산화 활성을 보였다. 퀘르세틴은 알파토코페롤 래디칼로 환원될 수 있다(Jovanovic et al., 1996).

루틴은 항산화 활성을 가지며 식물체에서 항산화제로서 작용하고 아스코빈산과 협력한다(Samorodova-Bianki, 1965). 아글리콘 퀘르세틴은 산소 래디칼을 포착하여 불활성시킬 수가 있다. 아스코베이트의 첨가는 이러한 산화의 감소를 가져온다(Schimmer, 1986).

　　루틴과 퀘르세틴은 290㎛와 90㎛의 농도에서 쥐의 복막대식세포의 석면섬유(asbestos fibers)에 의한 산소래디칼에 방어적으로 작용하였다(Kostyuk et al., 1996).

　　메밀의 생리활성을 구명하고자 물추출물을 효소처리하여 얻은 단백질가수분해물을 pH에 따라 분리하고 각 분획에 대하여 생리활성을 측정한 결과 메밀 품종에 따라 Fe^{2+}, 아스코빈산계에서 메탄올추출물의 항산화력이 상이하게 나타났다. 수원4호의 추출물은 아스코빈산의 3.3배(IC_{50})의 항산화력을 보였다. 메밀단백질과 루틴은 안지오텐신(angiotensin) 변환효소의 활성을 저해하였으나 가수분해물에 따라 저해에 차이가 있었다(최용순 외, 2000). 그리고 메밀전초(herb)〈메밀겉껍질(husk)〈메밀종실(껍질포함)〈메밀쌀(껍질제거)〈메밀잎 순으로 항산화 활성이 높았다(Holasova et al., 2002).

메밀은 동맥경화 예방효과가 있다

메밀의 루틴은 모세혈관과 동맥을 강하고 유연하게 하는 것 이외에도 비타민 C의 산화를 억제하여 혈관내벽의 손상을 억제한다. 활성산소가 혈관을 손상시키면 동맥경화가 올 수 있다.

심장혈관 부족 환자의 임상연구에서 메밀전초 추출물은 혈관수축 작용을 하였다(Koscielny er al., 1996). 루틴은 토끼에서 아드레날린(adrenaline) 대사와는 별개로 피부를 침범하는 강한 혈관수축을 일으킨다(100~200mg/kg의 루틴 투여 시). 더욱이 자동산화를 저해함으로써 아드레날린의 혈관수축 작용을 길게 하고 또 강화하였다(Schiller, 1951). 루틴, 루테올린(luteolin), 퀘르세틴, 퀘르시트린(quercitrin)은 분리된 토끼 소장(ileum)에서 아드레날린의 활성을 증대시킬 수 있었다. 아글리콘 퀘르세틴은 루틴보다 5배 더 높은 활성을 보였다(Clark and Geisman, 1949).

메밀싹 추출물과 루틴이 사람의 동맥 평활근 세포 증식을 억제시킨다는 것이 MTT측정 실험을 통해 확인되어 평활근세포의 증가에 의한 MMPs(matrix metalloproteinase)의 생성을 억제하는 것으로 판단되었다. 메밀싹의 킬레이트 효과는 MMPs가 금속이온과 결합하는 것을 사전에 방지함으로써 평활근세포의 세포이동이 억제되고 따라서 평활근세포가 혈관내피세포층에 축적되는 것을 막아주는 것으로 해석되었다(김동욱과 박철호, 미발표).

메밀은 당뇨병에 효과가 있다

① 메밀은 혈당을 낮춰준다

메밀은 소화성이 감자나 쌀 등 다른 작물의 전분질과 비교하여 서서히 진행되므로 당뇨병, 고지혈증 등을 컨트롤하는 탄수화물 특성을 나타낸다. 50%의 메밀분을 SDR에 투여한 결과 글루코즈(glucose) 저항성테스트에서 메밀보충급여군이 대조군에 비하여 혈당의 상승이 낮아지는 결과를 나타내 메밀이 당뇨병 예방에 효과가 있을 것으로 판단하였다(최면 외, 1991).

발아 메밀 추출물(엑스)을 고혈압쥐와 사람을 대상으로 4주간 투여하였을 때 동물과 사람에게 모두 혈당의 감소가 있었다. 또한 동물실험에서 쥐들에 15일 동안 메밀식품을 먹인 결과 혈당치가 1ℓ 당 9.41mmmol에서 7.57mmmol로 감소하였다.

한국식품개발연구원 김윤숙 박사팀은 2002년 메밀추출물이 당뇨합병증 예방에 탁월한 효과가 있음을 보고하였다. 당뇨에 걸리면 생체 내 단백질의 당화(glycation)로 망막증, 신경증, 백내장, 신장병 등 합병증을 일으킬 수 있는데 메밀추출물은 당화를 억제하는 능력이 화학물질치료제인 아미노구아니딘(aminoguanidine)보다 2배 이상 뛰어난 것을 밝혔다.

α-글루코시다아제(glucosidase)를 이용한 기내 항당뇨실험에서 보통메밀은 타타리메밀보다 효과가

컸고 효소저해활성은 꽃>뿌리>종실 순서로 높았다 (Sharma Ghimeray, 2011).

최근에는 메밀에서 파고피리토이스(fagopyritois) 라는 물질이 발견되었는데 이 물질은 제2형 당뇨병의 치료에 효과가 있는 것으로 추정되어 물질 정제 등 추가적인 연구가 진행되고 있다.

② 메밀은 췌장기능을 활성화한다

메밀은 또 췌장기능을 활성화하는 작용이 있다는 보고가 있다. 스트렙토조토신(Streptozotocin) 유발 당뇨 쥐의 췌장 효소활성을 알고자 스트렙토조토신(Streptozotocin) 유발 당뇨 쥐에 날메밀, 볶은 메밀, 찐 메밀을 식이에 50%가 되게 혼합하여 2주간 투여한 후 변 중 단백질을 측정한 결과 당뇨 대조군에 비해 날메밀에서 99%, 볶은 메밀에서 91%, 찐 메밀군에서 103% 증가하였으며 췌장 무게는 당뇨 대조군에 비하여 날메밀군에서 24% 증가하였다. 췌장 알파-아밀라제(amylase)와 리파제(lipase) 활성은 당뇨 대조군과 당뇨 메밀군 간에 유의적 차이는 없었으나 키모트립신

(chymotrypsin) 활성은 당뇨 찐 메밀군에서 45%가 감소하였다. 변의 알파-아밀라제(amylase) 활성은 당뇨 대조군과 당뇨 메밀군 간에 차이가 없엇으니 키모트립신(chymotrypsin) 활성은 모든 당뇨 메밀군에서, 트립신(trypsin) 활성은 당뇨 메밀군에서 유의하게 증가하였다(이정선 외, 1996).

메밀은 콜레스테롤을 낮춰준다

또한 메밀은 콜레스테롤을 낮춰준다. 메밀국수 제조 시에 메밀분을 30% 혼합하는 것은 소화율, 성장률에 별 차이가 없으며 혈청과 간장의 중성지질을 완만하게 감소시키는 효과가 있었다. 메밀채소 및 루틴의 경구 투여는 혈청 콜레스테롤 농도를 감소시키는 경향을 보이며, 메밀채소는 부가적으로 간장 콜레스테롤 농도를 감소시켰다(최용순 외, 1992). 인제대 김정인 교수는 정상적인 쥐가 메밀을 섭취했을 때는 내당능을 개선시켰으며 당뇨 쥐에서는 공복시 혈당치와 혈장 중성지방치를 감소시켰고 제2형 당뇨병 환자가 메밀밥을 2주간 섭취한 경우 혈액 총 당화헤

모글로빈과 총콜레스테롤 수준이 감소하였음을 보고하였다.

또한 Tomotake 등은 메밀단백질이 담즙의 생산을 촉진하고 대변을 통한 중성스테롤과 산성스테롤의 배설을 증가시켜 담석증을 예방하는 효과가 있다고 하였다. 메밀에는 식물성스테롤이 0.2% 함유되어 있는데 이 식물성스테롤은 소장에서 콜레스테롤이 흡수되는 것을 저해하고 혈장콜레스테롤을 저하시킨다. 중국에서도 He 등이 하루 100g의 메밀을 섭취하는 경우 LDL-콜레스테롤은 저하하고 HDL콜레스테롤은 증가하여 당뇨환자에게 혈당조절효과가 있음을 나타냈다.

메밀은 신장질환 개선효과가 있다

도야마의약과대학의 요꼬자와 다까꼬(Yokozawa Takako)교수(2001)는 메밀을 껍질 째 갈아 농축시킨 액에서 추출해 낸 '카테킨 및 에피카테킨 다중체'라는 천연물질을 200mg/kg 투여한 결과 독성물질 발생을 억제시키는 SOD효소가 현저하게 증가하였으며 신장 상피세포에 이 물질을 주입한 결과 독성을 나타내는 지표인 LDH효소량이 현저하게 감소하였음을 보고하였다. '카테킨 및 에페카테킨 다중체'라는 천연물질이 식물에서는 메밀에서 처음 발견되었으며 녹차에 많이 함유되어 항암작용을 하는 카테킨류가 최대 7개까지 중첩돼 있어 항암 및 항산화작용에 있어 훨씬 더 강력한 효능을 발휘한다는 사실을 구명함으로써 기존에 밝혀진 혈압강하, 당뇨식이, 콜레스테롤 감소, 비만해소 등 메밀의 생리활성 작용 이외에 메밀이 신부전증, 신장염 등 신장관련 질환 개선에도 기여할 수 있는 기능성 식물이라는 사실을 새롭게 밝혀냈다.

메밀은 항비만효과가 있다

권태봉 교수는 종자를 1주일 발아시킨 메밀싹을 사료에 섞어 돼지에게 6주간 섭취시킨 결과 피하지방의 두께와 체중이 30% 가량 줄었음을 보고하여 메밀이 비교적 높은 칼로리이면서도 다이어트 효과가 좋은 식품임을 확인해 주었고 이렇게 메밀이 다이어트 효과가 좋은 것은 메밀에 들어 있는 각종 효소와 섬유소 때문이라고 하였다. 즉, 지방흡수작용을 하는 리파제와 단백질 흡수를 돕는 트립신의 작용을 방해하는 효소와 섬유소가 많아 비만을 예방해 준다는 것이다. 또한 메밀단백질의 섭취가 실험동물의 체지방양을 감소시켰다는 연구결과도 있다.

메밀은 항암효과가 있다

함승시 교수(1994)는 메밀추출물을 사용하여 메밀에 돌연변이 물질의 활성을 억제하는 항돌연변이성(항암)이 있음을 보고하였다.

퀘르세틴과 루틴은 배양된 내피세포에서 다우노마이신(daunomycin)에 대한 세포독성을 저해하는 것으로 밝혀졌다(Melzig et al., 1997).

메밀잎 에탄올추출물의 항돌연변이원성을 실험한 결과 Spore rec-assay에서 낮은 농도에서 항돌연변이원성을 보였으나 높은 농도에서는 돌연변이효과를 나타냈다. Ames test에서는 메밀에탄올추출물이 자체 변이원성은 없었으며 Salmonella typhimurium TA98과 TA100에서 벤조(알파)피렌 2AF, Trp-P-1 및 MNNG에 돌연변이 유발 억제효과가 있었다. 이 시료를 핵산(hexane), $CHCl_3$, EtOAc, BuOH, 물 분획에 대하여 항돌연변이 효과를 조사한 결과 핵산분획이 벤조(알파)피렌에 S. typhimurium TA100에서 항돌연변이효과가 가장 컸고 MNNG에는 $CHCl_3$분획이 가장 효과가 컸다(곽충실 외, 2004).

부종을 억제(anti-edema)하는 효과가 있다

메밀전초(herb) 500mg과 30mg의 트로제루틴(troxerutin)로 구성된 조제물로 암컷의 모르모트(guinea pig)에 생긴 다리부종(leg edema)을 억제하였다(Wanderka, 1981). 루틴(rutin)이 혈관의 투과성을 감소시켜 부종을 막는 역할을 하는 것이다(Kuschinsky et al., 1949; Ambrose & DeEds, 1947; Gabor, 1972; Graebner et al., 1973).

메밀은 항바이러스 효과가 있다

 루틴과 퀘르세틴은 수포성구내염바이러스(VSV: Vesicular Stomatitis Virus)에 대하여 적당한 활성을 나타냈다. 이러한 작용은 히알루로니다아제 활성의 저해와 일치한다(Wacker & Eilmes, 1978). 헬라세포(HeLa-cel)l 배양에서 퀘르세틴의 강한 항바이러스 활성이 입증되었으며 대상포진 바이러스(*Herpes hominis*와 *Herpes suis*)에 대해서 루틴은 적당한 활성을 갖는 것으로 밝혀졌다(Beladi et al., 1965). 플라보노이드는 제1형의 단순포진바이러스에 활성을 갖으며 더 많은 하이드록실 기(group)를 갖는 분자가 더 낮은 활성을 보여 갈란진(galangin)〉캠페롤〉퀘르세틴 순이었다. 플라본(flavone)은 더 낮은 활성을 보였으며 플라본과 플라보놀(flavonol)의 조합은 시너지효과를 나타냈다(Amores et al., 1992). 퀘르세틴은 유사인플루엔자바이러스(Parainfluenzavirus 3), 소아마비바이러스(Poliovirus), Respiratory syncytial virus에도 활성을 갖는다(Middelton, 1984).

메밀은 과민증에 대한 보호작용이 있다

루틴은 말 혈청으로 처리된 모르모트(guinia pig)를 혈청요법 뒤에 일어나는 과민증(anaphylaxis)을 막았다. 그러나 히스티민으로 처리된 동물에 대해서는 루틴이 과민증을 막지 못했다(Raiman et al., 1947). 그러나 특수한 조건 하에서 충분한 양으로는 루틴이 항히스타민 작용을 갖는다(Middleton, 1984).

메밀은 미백효과 및 항히스티민 작용이 있다

수 년전 신광호 한의사가 메밀을 이용한 건식팩을 만들어 제품을 출시하였는데 미백효과가 뛰어난 것으로 알려졌다. 메밀에는 또 항히스티민 작용이 있어 가려움증을 완화시켜 주기도 하므로 아토피성 피부염에 쓰일 수 있을 것으로 추정하였다.

메밀은 항노화효과가 있다

최근 농촌진흥청 고령지농업연구센터에서는 타타리메밀의 루틴을 노화된 피부에 처리하여 노화방지에 관련된 세포활성화를 촉진하는 'Sirt1' 유전자의 활성도가 크게 증가하는 결과를 얻었다.

메밀과 타 곡물과의 영양가 비교

일반영양소

칼로리 면에서 메밀가루는 100g당 약 360kcal로서 쌀밥(340kcal)과 거의 같고 밀가루빵(260kcal)보다는 높다. 그리고 영양 면에서 메밀의 종실은 좋은 영양소를 많이 가지고 있다. 메밀의 일반성분은 수분함량이 10~15%, 단백질 함량은 12%~14%이다. 조지방 함량은 2~3%로 수수보다는 적으나 밀, 보리와 비슷하고 쌀보다는 많은 편에 속한다. 탄수화물은 60~70%, 섬유소 함량은 3~11%이다. 회분은 2~3.5%로 보리와 비슷한 수준이며 밀, 쌀, 현미, 옥수수보다 많이 함유되어 있다. 메밀은 단백질 함량이 높고 미네랄과 비타민 함량도 높아 영양균형이 좋은 식품이며 식물섬유는 백미의 8배, 밀가루의 2배 이상 함유되어 있으므로 메밀은 저칼로리 다이어트 식품으로 알려져 있다.

메밀의 종실은 열량가가 높고 각종 수용성 단백질

을 비롯하여 티아민(thiamine)을 함유하여 영양 생화학적 가치가 높다. 메밀은 탈지 우유분말의 92.3%, 계란분말의 81.4%에 해당하는 높은 단백가를 가지고 있으므로 식물계에서 가장 양질의 생물학적 가치를 갖는다. 그러므로 유럽에서는 메밀가루가 이유식으로서도 호평을 받고 있다.

메밀의 추정된 단백질 효율은 1.8이며 이는 일반옥수수 1.2, 성분이 개선된 오페크-2 옥수수 2.3, 쌀 1.7, 밀 1.6, 밀의 배 2.5와 비교된다. 메밀 종실의 아미노산 분포는 화곡류와 다른 양상을 보이며 그 조성도 영양학적으로 우수한 것으로 평가된다. 즉, 메밀의 아미노산은 다른 곡류에 비해서 라이신(lysine) 함량이 월등히 많다. 라이신은 우리 몸에서 만들지 못하는 아미노산이므로 식품을 통해 섭취해야 하는데 메밀에 이러한 라이신이 많이 들어 있는 것이다. 알지닌(arginine)과 아스파틴산(aspartic acid)의 함량도 높으며 반면에 글루타민산(glutamic acid)과 프롤린(proline)의 함량은 다른 곡물에 비하여 낮은 편이다.

메밀가루 중 회분, 단백질, 지방 함량은 외충분=

통합분〉중층분〉내층분순 이었으며, 칼륨과 마그네슘 함량은 밀가루에 비하여 메밀이 높은 수준이었다. 플라보노이드(flavonoids)의 함량은 외층분〉통합분=중층분〉내층분 순이었다.

미네랄과 비타민

Ikeda교수에 의하면 메밀에는 아연(Zn), 망간(Mn), 마그네슘(Mg), 인(P), 구리(Cu)와 같은 무기질이 풍부하며 헤모글로빈의 주성분인 철분(Fe)과 골다공증과 혈압조절에 필수불가결한 칼슘(Ca) 및 최근 노화방지와 항암효과로 관심을 끌고 있는 셀레늄(Se)도 일정량 함유되어 있다고 한다. 메밀 종실의 칼슘은 쌀의 2배정도 된다. 종실의 무기질 함량은 품종, 재배양식 및 질소시비 수준 등에 의해서 영향을 받아 차이를 나타내는데 아연과 망간은 품종간 변이가 크며 구리는 비교적 안정적인 분포를 나타내는 것으로 조사되었다.

메밀은 비타민 B_1, B_2, D, E 등을 함유하는데 비타민 B_1과 B_2는 쌀에 비해 3배정도 더 많은 양이 메밀 종실에 함유되어 있으며 중추신경과 혈중지방에 깊은 관계가 있는 나이아신도 들어있다. 그 밖에 피틴산(phytic acid) 함량은 7.0~13.6㎎/g 수준이었으며 아스코빈산(ascorbic acid)의 평균 함량은 5.4㎎%이었다. 토코페롤(tocopherol)의 평균 함량은 6.84㎎%이었으며, 이중 감마(γ)-형(6.16㎎%)이 주요한 동족체로 존재하는 반면, 베타(β)-형은 없거나 매우 낮았다.

그 밖의 유효성분

그 밖에 가바{GABA; γ-아미노 낙산酪酸} 및 안지오텐신 저해물질을 들 수 있다. 아미노산의 일종인 글루타민산이 변화해서 가바가 생성된다. 이 물질은 뇌신경에 작용해 기분을 온화하게 하고 혈압을 억제하는 작용이 있다고 생각된다. 차로 섭취하는 것이 가능해져 기분진정작용을 강조한 가바론차도 시판되었다.

또 인간의 혈압조정 메카니즘의 중심에 안지오텐

신변환효소가 있다. 이 변환효소는 인체 내에서 혈압을 높게 하는 물질(안지오텐신2)을 생성하고 혈압을 저하하는 물질(브라지기닌)을 파괴한다. 메밀에는 이 변환효소의 작용을 억제하고 온화하게 혈압을 내리는 효과가 인정되고 있다.

 이상과 같이 메밀의 유효성분으로서 라이신을 많이 함유한 양질의 단백질, 나이아신, 칼륨, 루틴, 가바, 변환효소저해물질 등 수 많은 성분이 발견되고 있다.

메밀의 임상 사례

　정도가 다른 혈액 순환 장애를 겪고 있는 166명의 환자를 대상으로 한 메밀식이실험에서 6주 후에 주관적으로나 객관적으로 좋아진 결과를 얻었다(Schilcher et al., 1990). 주관적 기준은 통증, 경련, 부어오른 발 등이었고 객관적인 검사기준은 색깔, 비만, 탄력성, 조사된 정맥과 동맥 부분의 비정상적으로 팽창된 노장(怒張) 상태이었다.

　고혈압에 걸린 환자 60명에게 6주간 메밀추출액을 1일 2회 섭취하게 하여 평균 수축기 혈압은 20mgHg, 혈당치는 40~50mg/g 떨어진 사실을 확인할 수 있었다(권태봉, 1995).

　메밀을 섭취한 후 모세혈관이 단단해 진 효과를 입증하는 연구도 있다(Mills, 1993). 만성적인 정맥부족(CVI I, II; Chronic Venous Insufficiency)을 겪고 있는 67명의 환자에게 메밀잎 차를 마시게 하고 대조구로 위약(placebo)을 처리한 연구에서 부종이 생기지 않는 결과를 얻었다(Koscielny et al., 1996). 처리 12주 후에 활성적으로 처리가 되고 있는 환자의 경우 위약처리를 받은 환자보다도 100㎖ 더 적은 혈류량(fluid)을 축적하였다. 이러한 결과는 유의하였고 4주후에 처리없이 증상이 더 이상 나타나지 않았다. 이것은 메밀전초를 이용한 치료가 장기 치료임을 입증하는 결과이다.

CVI I과 II 단계에 있는 81명의 환자를 대상으로 한 또 다른 임의적이고 위약컨트롤을 통한 임상연구에서는 환자에게 500㎎의 메밀전초추출물과 30㎎의 트로제루틴(troxerutin)을 조합한 두 알의 타블렛을 3회 처방하였다. 그 결과 처리 12주 후에 무릎아래 다리에서 유의한 감소가 있었다(Kiesewetter et al., 1997).

메밀을 날 메밀, 찐 메밀, 볶은 메밀로 구분하여 동물실험 및 정상인 19명에게 임상실험한 결과 동물실험에서 당뇨 대조군에 비하여 메밀 식이 섭취군이 혈당의 저하가 가장 컸다. 즉, 정상 성인에게 혈당반응 조사를 한 결과 메밀의 투여가 혈당반응이 가장 낮았고 인슐린 반응 또한 가장 낮았으며 메밀이 당뇨식 및 고지혈증 환자식으로 적합한 것으로 나타났다 (이정선, 1994).

중국에서 하얼빈의대 장 홍웨이 교수가 내몽고 주민 1천명을 조사한 결과 메밀을 주식으로 하는 사람들은 혈당치가 1ℓ 당 3.9mmmol로 메밀을 먹지 않는 사람들의 4.56mmmol보다 현저히 낮은 것을 보고하였다. 장교수는 또 다른 조사에서 메밀을 먹는 지역 주민은 고혈당과 당뇨병 발생비율이 각각 1.6%와 1.88%인데 비하여 메밀을 먹지 않는 지역의 주민은 각각 7.33%와 3.84%로 높게 나타났음을 보고하였다.

| 인용문헌 |

1. 한용봉 상용식용식물 I. 성분과 생리활성. 2004 고려대출판부 pp. 130-148
2. Hansjoerg HAGELS *Fagopyrum esculentum* Moench. Medical review. 1999 Res. Rep. Biot. fac. UL - Agriculture pp. 315-329
3. Holasova M. et al., Buckwheat - the source of antioxidant activity in functional foods. 2002 Food Research International 35:207-211
4. 日本蕎麥協會 そば生産獎勵 Handbook Series 16. そばの榮養
5. 메밀 창간호~10호. 1997~2001 한국메밀연구회
6. 강원대 석사학위논문 (Pankaja Sharma Ghimeray) 2011
7. 한양대 박사학위논문 (이정선) 1994
8. 과학기술처보고서 (권태봉) 1995
9. 한국식품영양과학회지 (최용순 외) 2000, (이정선 외) 2006
10. 농림부보고서 (박철호) 2006

메밀이 왜 몸에 좋은가

지은이 박철호 · 최용순

발 행 2012년 7월 20일 1판 1쇄
인 쇄 2012년 7월 23일 1판 1쇄

발 행 처 도서출판 진솔
         서울 중구 을지로3가 260-15 태광빌딩 205호
         전화 (02)2272-2065   팩스 (02)2267-3011
발 행 인 조진성

정   가 3,000원

ISBN 978-89-87750-73-6 93520

※ 본서의 제목과 독창적인 내용에 대한 일체의 무단 전재, 복사, 모방은 법률로 금지되어 있습니다.
※ 잘못 만들어진 책은 교환하여 드립니다.